UDC

中华人民共和国国家标准

P

GB/T 51217－2017

通信传输线路共建共享技术规范

Technical specification for joint construction and sharing of transmission lines

2017－01－21 发布　　2017－07－01 实施

中华人民共和国住房和城乡建设部
中华人民共和国国家质量监督检验检疫总局
联合发布

中华人民共和国国家标准

通信传输线路共建共享技术规范

Technical specification for joint construction and sharing of transmission lines

GB/T 51217 - 2017

主编部门：中华人民共和国工业和信息化部
批准部门：中华人民共和国住房和城乡建设部
施行日期：2017年7月1日

中国计划出版社

2017 北 京

中华人民共和国国家标准

通信传输线路共建共享技术规范

GB/T 51217-2017

☆

中国计划出版社出版发行

网址：www.jhpress.com

地址：北京市西城区木樨地北里甲11号国宏大厦C座3层

邮政编码：100038　电话：(010) 63906433（发行部）

北京市科星印刷有限责任公司印刷

850mm×1168mm　1/32　1.125印张　25千字

2017年5月第1版　2017年5月第1次印刷

☆

统一书号：155182·0078

定价：12.00元

中华人民共和国住房和城乡建设部公告

第 1446 号

住房城乡建设部关于发布国家标准《通信传输线路共建共享技术规范》的公告

现批准《通信传输线路共建共享技术规范》为国家标准，编号为 GB/T 51217—2017，自 2017 年 7 月 1 日起实施。

本规范由我部标准定额研究所组织中国计划出版社出版发行。

中华人民共和国住房和城乡建设部

2017 年 1 月 21 日

前　言

本规范是根据住房城乡建设部《关于印发2011年工程建设标准规范制订、修订计划的通知》(建标〔2011〕17号)的要求,由华信咨询设计研究院有限公司会同有关单位共同编制完成的。

本规范在编制过程中,编制组进行了广泛的调查研究,认真总结实践经验,参考有关国内外有关标准,并在广泛征求意见的基础上,最后经审查定稿。

本规范共分8章,主要技术内容包括:总则,术语,规划,杆路共建共享技术要求,通信管道共建共享技术要求,光缆共建共享技术要求,施工与验收,维护。

本规范由住房城乡建设部负责管理,工业和信息化部负责日常管理,由华信咨询设计研究院有限公司负责具体技术内容的解释。执行过程中,如有意见或建议,请寄送华信咨询设计研究院有限公司(地址:浙江杭州下城区文晖路183号;邮政编码:310014)。

本规范主编单位、参编单位、主要起草人和主要审查人:

主编单位:华信咨询设计研究院有限公司

参编单位:中讯邮电咨询设计院有限公司
中国移动通信集团设计院有限公司
江苏省邮电规划设计院有限责任公司
中国通信建设集团设计院有限公司
中广电广播电影电视设计研究院
浙江省电力设计院

主要起草人:沈　梁　周烜义　朱东照　周姗月　林宗銮
任　青　胡　明　贺永涛　张耀晖　刘春俐
张敏锋　林长海　裴家兴　毛　婕

主要审查人: 涂　进　刘　健　王文成　李树辰　于纪恺

李海滨　常瑞林　王　毅　王树林　袁玉春

李　宇　于海生

目　次

Contents

1 总 则

1.0.1 为了在通信传输线路建设中减少重复建设，提高通信传输线路的利用率，进一步推进通信传输线路的共建共享工作，统一、规范通信传输线路共建共享规划、设计、验收和维护等方面的技术要求，制定本规范。

1.0.2 本规范适用于通信传输线路共建共享的新建、改建和扩建工程项目。

1.0.3 通信传输线路共建共享应统一规划，有序建设。

1.0.4 通信传输线路共建共享不应影响现有网络设施安全和稳定运行。

1.0.5 通信传输线路共建共享的经济性能应当优于分别建设的经济性能，达到节约资源及建设成本的目的。

1.0.6 通信传输线路共建共享的建设应符合规划、环保、节能、消防和抗震等有关要求，共建传输线路设计应满足各方商定的设计方案。

1.0.7 通信传输线路共建应有明确的主建方。主建方负责统一需求分析及方案确定，并应负责组织工程规划、设计、施工、监理、验收和维护。

1.0.8 通信传输线路与电力、广电等其他行业的线路共建共享，应满足电力行业、广电行业的技术要求。

1.0.9 通信传输线路共建共享，除应符合本规范外，还应符合国家现行有关标准的规定。

2 术　　语

2.0.1　杆距　　pole distance

架空线路两相邻杆中心线之间的距离。

2.0.2　吊线　　suspension wire

通过电杆或其他支撑物,架设用于拖挂或捆绑架空光(电)缆的高强度线(多为镀锌钢绞线)。

2.0.3 拉线　　anchor wire

平稀线条张力、加强线路稳定性的装置。

2.0.4　安全系数　　safety coefficient

材料强度极限值与容许应力的比值。

2.0.5　管道　　duct

由多(单)孔管、人孔或手孔所构成的用于敷设光、电缆的地下建筑物。

2.0.6　共建　　joint construction

由多方共同参与新建传输线路的行为。

2.0.7　共享　　sharing

由多方共同使用传输线路的行为。

2.0.8　主建方　　construction administrator

组织实施传输线路共建的单位。

2.0.9　参建方　　construction participator

参与传输线路共建的单位。

2.0.10　所有方　　owner

共享的传输线路中拥有所有权的单位。

2.0.11　共享方　　sharing participator

传输线路共享中获得使用权的单位。

2.0.12 维护管理方 maintenance administrator

负责传输线路运行维护管理的主体单位。

3 规　划

3.0.1 共建共享传输线路路由的选择应符合通信网络规划，并应结合水文、气象、地理、地形、地质、交通、城市规划、土地利用、名胜古迹、电磁环境、环境保护、投资效益等因素综合比较选定，线路建设应考虑保护当地文物、自然水系、湿地、基本农田、森林和其他保护区。

3.0.2 传输线路共建共享各方应在各自提出的需求的基础上进行分析、协商，形成并确认共建共享规划方案，并应保证共建共享的传输线路能够最大限度地满足共建共享各方的需求。

3.0.3 传输线路共建应满足共建各方不低于3年的通信建设发展规划的基本需求，已有传输线路的改建或扩建宜满足共享各方不低于3年的通信建设发展规划的基本需求。

3.0.4 传输线路的共建共享规划应充分考虑各方的网络安全、业务发展容量和维护等级因素。

3.0.5 通信管道共建应以城市发展规划和通信建设总体规划为依据，并应根据各方发展需求，进行总体规划和建设；管道共建规划应纳入城市建设规划，实施建设宜与相关的市政建设同步进行。

3.0.6 通信管道共建应统一规划设计、统一审批、统一建设。管道共建各参建方应明确管道段落的起讫点、建设路由、管孔数、管孔规格、段长、人(手)孔设置、材料和工期安排。

4　杆路共建共享技术要求

4.1　杆路共建一般要求

4.1.1　共建杆路设计应符合现行国家标准《通信线路工程设计规范》GB 51158 的有关规定，并应考虑杆路最终可架挂的光缆数量，杆路建筑规格应按杆路所经过地区的气象负荷区的气象条件以及杆上架挂光缆的负荷进行设计。

4.1.2　路由的选择应满足共建各方的业务发展需求。杆路共建各方应明确共建杆路的起讫点、杆路长度、杆路路由、光缆条数、光缆类型、芯数、光缆安装位置、主要材料筹备方式和工期安排。

4.1.3　新建杆路时，吊线应分层自上而下安装。

4.1.4　安装两条以上光缆吊线时，同侧上下两层吊线间距不宜小于 0.4m，杆高宜按安装 2 层或 3 层光缆吊线设置。

4.2　杆路共享一般要求

4.2.1　拟新建杆路路由走向上或顺路附近已有杆路时，应首先考虑共享该杆路。

4.2.2　选择共享杆路时，应选择其路由近捷、地形及环境较好、杆线路由固定、建筑质量良好、施工及维护方便的杆路，并应避免选择需要进行大量整治、改造的杆路。

4.2.3　选定在原有杆路上架挂光缆时，应复核杆路容量、建筑强度，当不符合要求时，应通过技术改造来满足要求。

4.2.4　架挂光缆后，不应对原杆路缆线的使用和运行产生影响。在已有光缆吊线上增加光缆时，不符合要求的光缆挂钩应更换，施工时应注意保护已有光缆，不得与已有光缆发生扭绞、挤压。

5 通信管道共建共享技术要求

5.1 通信管道共建一般要求

5.1.1 共建管道设计应符合现行国家标准《通信管道与通道工程设计规范》GB 50373 的有关规定；

5.1.2 在通信管道共建时，应研究分路建设的可能性，并应满足各方的需求和管道网络的灵活性。

5.1.3 通信管道内管孔应预先划分各方使用区域、预留区域和共享区域。

5.1.4 共建通信管道的容量应按主建方和参建方远期需求，结合管群的组合型式统一确定，并应一次性铺设完成。

5.1.5 共建通信管道管孔容量较大时，管道埋设应根据各种实际情况做出相应的调整。

5.1.6 新建野外长途主干管道时，主建方应与参建方合作共建。

5.1.7 共建管道时应以管孔为单位区分，塑料管材可采用不同颜色识别，也可采用其他易于识别的方式。

5.1.8 在对现有管道进行改、扩建时，应对原有的人(手)孔及原有光(电)缆做好安全防护措施。

5.2 通信管道共享一般要求

5.2.1 当剩余管道子孔数大于 2 孔时，应开放共享。当剩余管道子孔数小于或等于 2 孔时，可采用微管、微缆、纺织子管等新技术实现共享。

5.2.2 共享管道各方敷设管道光缆时应做好人(手)孔清淤、管孔封堵等工作，并应在每一个人(手)孔两端挂光缆标志牌。

5.2.3 施工时应对现有光缆采取保护措施,并应避免对现网造成影响。

5.3 通信管道共建共享技术其他要求

5.3.1 管孔内径大的管材应放在管群的下方和外侧,内径小的管材应放在管群的上方和内侧。各方的具体占位应协商确定,一方宜占用管群的同一侧。

5.3.2 共建管道时,主建方与参建方应协商确定管材的材质,在同一段管道内宜采用同种材质的管材。

5.3.3 共建管道时,主建方与参建方应协商解决人(手)孔的设置,可采用共用人(手)孔或分设人(手)孔两种方式。有条件时宜采用分设方式,且宜以建筑标准的人(手)孔为主。

5.3.4 共享方应根据共建共享协议,办理相关管道段落共享手续。

5.3.5 共享方应在规定时间内提供相关设计文件,并应经所有方共同对设计文件进行确认后方可组织实施。

6 光缆共建共享技术要求

6.1 光缆共建技术要求

6.1.1 共建光缆设计传输线路防强电、防雷及其他防护均应符合现行国家标准《通信线路工程设计规范》GB 51158 的有关规定。

6.1.2 长途线路网光缆、本地线路网光缆、接入网光缆宜共建。光缆共建原则上同一路由各方光缆应分开建设并有明显区分标志，也可采用同缆分纤的方式。

6.1.3 各方应明确共建光缆段落的起讫点、长度、路由、光缆类型、芯数、材料和工期安排。

6.1.4 共建光缆中纤芯数量应按共建各方远期需求进行配置，不宜分期投资，多次重复布放光缆。

6.1.5 各方应统一规划和设计公共路由的光缆，主建方应及时组织设计单位编制施工图设计文件，并应经参建方共同会审通过后方可组织实施。光缆共建部分宜由主建方负责组织设计、施工、监理和验收。

6.1.6 共建直埋光缆时，各方应相互配合，共同确定工程规模，做到同沟敷设多条光缆，各条光缆应有明显区分标志。

6.1.7 直埋光缆宜采用同沟平行敷设，不得重叠或交叉，特殊情况可调整敷设方式。

6.1.8 引出较多的直埋光缆应靠光缆路由外侧敷设，引出时应对其他缆线进行保护，不宜穿越其他缆线；当不可避免时，应从其上方穿越，并应采取保护措施。

6.1.9 直埋光缆同沟敷设时，光缆配盘应错开接头盒位置，监测标石应有明显区分标志。

6.1.10 管道光缆同沟同井敷设时，应错开光缆接头位置。

6.1.11 建设海底光缆时宜采用共缆分纤的共建方式。

6.2 光缆共享技术要求

6.2.1 光缆芯数12芯以上时，纤芯资源宜预留30%以上备用纤芯，多余纤芯资源应开放共享。

6.2.2 共享方在满足需求和安全的前提下，应采用共享方式获取光缆资源。

6.2.3 长途线路网光缆、本地线路网光缆、接入网光缆宜进行共享，共享时应对光缆进行纤芯分配，明确共享范围。

6.2.4 光缆的光纤共享时，光缆所有方应提供光缆光纤测试资料和光缆引接条件。

7 施工与验收

7.1 施工要求

7.1.1 共享光缆线路应在已建的光缆网络上进行施工，施工前应需充分了解原光缆网络的运行情况，并应确定具体引接点，制订光缆施工方案，应避免对运行的光缆网络产生中断影响。

7.1.2 施工安装过程中，应对隐蔽工程作检查和记录，工程结束后应对光缆线路工程做准确完整的竣工资料。

7.1.3 在挖掘光缆线路的沟(坑)时，当发现埋藏物，特别是文物、古墓应立即停止施工，并应保护现场，在未得妥善解决之前，施工单位等不得在该地段内继续作业。

7.1.4 施工单位应严格制订安全措施、严密组织、精心施工、保证安全、文明生产。

7.1.5 在机房进行光缆安装施工时，施工单位应对机房进线孔洞做好防火、防水封堵措施。

7.2 验收要求

7.2.1 传输线路共建共享项目应进行专门验收。

7.2.2 共建共享各方对传输线路验收时应采取相同的验收标准，因各方验收标准不一致造成的验收困难，应以设计方案为基础协商解决，并应在验收报告中予以说明。

7.2.3 共建共享的验收范围应包括器材、建筑、工艺、线路防护等验收。

7.2.4 验收所需的抽检数量和样本选取可按现行国家标准《通信线路工程验收规范》GB 51171 执行。

7.2.5 验收应由主建方根据要求组织开展验收工作，各参建方应参与验收。

8 维　　护

8.1 一般规定

8.1.1 共建共享的通信传输线路维护应满足各方的维护要求。

8.1.2 共建共享的通信传输线路建成后，应由相应的维护管理方进行维护和档案管理工作。

8.1.3 共建共享的通信传输线路的维护工作应由相关各方协商确定维护管理模式和维护管理方，并应协商制定维护管理流程和手册。

8.1.4 维护管理方在对共建共享的通信传输线路进行维护作业时，应通知共建共享各方，共建共享各方应在规定时间响应配合。

8.1.5 共建共享各方在执行各自设备和设施的维护工作时，应告知维护管理方或所有方。在维护工作过程中，不应影响通信传输线路的安全性能和使用功能。

8.1.6 共建共享的通信传输线路出现安全隐患时，维护管理方应维修并通知共建共享各方，共建共享各方应在规定时间响应配合。

8.2 维护技术要求

8.2.1 共建共享的通信传输线路维护的工作内容应包含杆路、管道、光缆的维护。

8.2.2 共建共享的通信传输线路维护应按日常巡检维护和专业维护两个方面作业。

8.3 工程建设及维护档案资料管理要求

8.3.1 共建共享的通信传输线路建成验收后应建立完善的维护档案资料，维护管理方或所有方专人管理，应保证维护档案资料在通信传输线路使用期间的完整、连续和准确。

8.3.2 维护档案资料应包含但不限于下列内容：

1 工程可行性研究报告。

2 设计文件和图纸。

3 施工记录和竣工验收资料。

4 运行检查维护情况及记录，包括日常巡检记录、专业维护记录、隐患处理记录等。

8.3.3 维护管理方应妥善保管并及时更新共建共享通信传输线路的维护资料。共建共享各方可根据需要查阅通信传输线路的维护资料。

本规范用词说明

1 为便于在执行本规范条文时区别对待，对要求严格程度不同的用词说明如下：

1) 表示很严格，非这样做不可的：

正面词采用“必须”，反面词采用“严禁”；

2) 表示严格，在正常情况下均应这样做的：

正面词采用“应”，反面词采用“不应”或“不得”；

3) 表示允许稍有选择，在条件许可时首先应这样做的：

正面词采用“宜”，反面词采用“不宜”；

4) 表示有选择，在一定条件下可以这样做的，采用“可”。

2 条文中指明应按其他有关标准执行的写法为：“应符合……的规定”或“应按……执行”。

引用标准名录

《通信管道与通道工程设计规范》GB 50373

《通信线路工程设计规范》GB 51158

《通信线路工程验收规范》GB 51171

中华人民共和国国家标准

通信传输线路共建共享技术规范

GB/T 51217－2017

条 文 说 明

编 制 说 明

《通信传输线路共建共享技术规范》GB/T 51217—2017，经住房城乡建设部2017年1月21日以第1446号公告批准发布。

本规范制订过程中，编制组进行了广泛的调查研究，总结了我国通信传输线路建设共建共享的实践经验，同时参考了国内多部法规、规范标准，多家单位和相关专家提出了意见和建议。

为便于共建共享各方、设计、施工等单位有关人员在使用本规范时能正确理解和执行条文规定，《通信传输线路共建共享技术规范》编制组按章、节、条顺序编制了本规范的条文说明，对条文规定的目的、依据以及执行中需注意的有关事项进行了说明。但是，本条文说明不具备与规范正文同等的法律效力，仅供使用者作为理解和把握规范规定的参考。

目　次

1　总　则

近年来，我国通信事业迅猛发展，固定通信和移动通信方式给人民群众生活、工作带来很多方便。同时，大规模的建设带来了通信设施重复建设的问题。2008 年 9 月，工业和信息化部联合国资委发布了《关于推进电信基础设施共建共享的紧急通知》（工信部联通〔2008〕235 号），明确了土地、能源和原材料的消耗，保护自然环境，减少通信重复建设，提高通信基础设施利用率，大力推荐通信基础设施共建共享的要求。在通信传输线路方面，主要集中杆路、管道、光缆的共建共享。结合目前的发展状况，有必要对通信传输线路的共建共享进行总结，制订规范以指导通信传输线路共建共享工作的有效开展。

本规范主要围绕共建共享通信传输线路的特点编写，与非共建共享通信传输线路建设一样遵循的各种技术要求不再赘述。由于共建共享通信传输线路涉及多个建设方，各建设方又有各自不同的情况，所以强调共建共享通信传输线路建设要统一需求、统一规划、统一标准、统一建设、统一验收，明确主建方，以利于共建共享的实施。

3 规　划

3.0.1 共建共享应充分考虑其他杆路、管线，合理布局，节约空间。

4 杆路共建共享技术要求

4.1 杆路共建一般要求

4.1.2 杆路共建分为“杆路共建、光缆自建”和“杆路共建、光缆共建”两种方式。新建杆路时，各方在杆路上需各自安装吊线且原则上按该杆路建设初期光缆数量设置。

4.1.3 新建杆路时，光缆吊线安装在杆路上端，为将来杆路共享预留条件。

4.1.4 无穿钉眼的水泥杆应采用吊线抱箍方式，有穿钉眼的水泥杆或木杆宜用穿钉方式。

4.2 杆路共享一般要求

4.2.1 同路由新建杆路指在聚居区内已有杆路同一道路、非聚居区已有杆路 500m 范围内同路由方向新建杆路。

4.2.3 应复核原杆路上拉线强度，确定是否增加拉线或用更高程式的钢绞线更换；对电杆杆身损坏或电杆高度不能满足要求且无法采用接杆方式时应予以更换。如因拉线过多以致再增加拉线有困难时，可用比原来拉线高一级程式的钢绞线来更换原有部分拉线，亦可考虑采取杆根石护墩或水泥护墩建筑等其他加固措施。

4.2.4 共享方利用已有杆路一般情况下分为两种：利用原有吊线敷设光缆及新增吊线敷设光缆。每条架空光缆均应挂标志牌，至少每隔 200m 挂一处光缆标志牌，在起始杆、分支杆、引上杆、引入杆等处均必须挂光缆标志牌。

5 通信管道共建共享技术要求

5.1 通信管道共建一般要求

5.1.2 在终期管孔容量较大的宽阔道路上，当规划道路红线之间距离大于或等于40m时，应在道路两侧建设通信管道或通道；当小于40m时，通信管道应建在用户多的一侧，并根据需要预留过路管道。

5.1.3 通信管道建成使用时，应按照“由下到上、由外至里”的管孔位置有次序布放光缆。对于重要干线等光缆应处于管群的中下部，基站等引入光缆尽量处于管群外部。

5.1.4 通信管道共建宜与相关的市政建设统一规划，同步进行，以减少路面开挖及修复赔补费用，避免重复建设。

5.2 通信管道共享一般要求

5.2.1 微管、微缆参照现行行业标准《通信用气吹微型光缆及光纤单元》YD/T 1460的规定，与微缆配套使用的微管的外径在7.0mm～12.0mm之间，最大不得大于16mm。

5.3 通信管道共建共享技术其他要求

5.3.3 特殊环境下，人(手)孔达不到标准要求，可纵向或横向调整尺寸，并单独计算其强度、配筋。

6 光缆共建共享技术要求

6.2 光缆共享技术要求

6.2.1 光缆芯数12芯以下时，光缆可不共享；如同一中继段一次性共享20芯以上的光纤时，则应考虑20%的备用纤芯。

6.2.3 光缆原则上从主建方的相关机房引接，如光缆路由太长或者跳接太多可能导致光纤衰耗偏大，参建方光缆也可应就近连接至局站、光缆终端设备，不建议采用中途掏接的方式完成网络的联通。所有方与共享方应共同确定合理、可行的技术方案，以利于后期施工及维护。

6.2.4 由于光纤性能与厂家、产品批次、使用年限、敷设条件等因素有关，随着使用年限增加，光纤的各项参数会发生变化，有的甚至失效报废。因此，供共享的光纤必须经过检测，对规定的指标参数必须有明确的描述。

8 维 护

8.1 一般规定

8.1.4 共建共享的光缆进行维护作业、网络割接、故障处理等工作，各方严禁操作责任范围以外的设施。

(1)不应影响他方设备的正常运行，如发生问题必须立即向对方通报，以便相关问题的协调处理。

(2)共享设施进行光缆割接时，所有方应事先告知共享方，共享方应及时予以回复，与共享方协商确定共建共享设施施工组织方案，便于共享方做好相关设备系统倒换、调纤等准备工作。

(3)共享方对自有设施进行光缆割接、网络优化时，应事先告知所有方，所有方应及时予以回复，协商确定共享方自有设施施工组织方案，并负责做好施工现场配合工作。

(4)共享方完成自有设施的光缆割接、设备系统倒回等维护工作，恢复正常后，应及时告知所有方。

统一书号：155182 · 0078

定　　价：12.00 元